بچه ها از بس گرسنه و ضعیف بودند که آرام نداشتند و بیخواب مانده بودند. آنها همه حرفها را شنیدند و گرتِل به تلخی گریه کرد. هانسل گفت "غم نخور. فکر میکنم میدانم چگونه میشود از خودمان مواظبت کنیم."

آنگاه یواشکی به باغچه رفت. در زیر نور مهتاب، شنهای سفید راهرو حیاط مانند سکه های نقره برق میزدند. هانسل جیبهایش را از شن ریزه پُر کرد و برگشت تا خواهرش را آرام کند.

The two children lay awake, restless and weak with hunger.
They had heard every word, and Gretel wept bitter tears.
"Don't worry," said Hansel, "I think I know how we can save ourselves."
He tiptoed out into the garden. Under the light of the moon, bright white pebbles shone
like silver coins on the pathway. Hansel filled his pockets with pebbles and returned to
comfort his sister.

هانسل و گرِتل

Hansel and Gretel

Retold by Manju Gregory
Illustrated by Jago

Farsi translation by Anwar Soltani

یکی بود یکی نبود، در زمانهای قدیم، مرد هیزم شکن فقیری بود. او با همسر و دو فرزندش زندگی میکرد.
اسم پسرش هانسل و اسم دخترش گرتِل بود.
در آنزمان قحطی بزرگ ترسناکی همه جای سرزمین آنها را فراگرفته بود. یکروز غروب مرد رو به همسرش کرد
وناله کنان گفت "غذای کمی داریم که بزحمت مارا سیر میکند."
همسرش گفت: "گوش کن، بچه‌ها را باید به جنگل ببریم و در آنجا رهایشان کنیم. میتوانند از خودشان مواظبت کنند."
مرد به او توپید و گفت "ولی حیوانات درنده آنها را پاره خواهند کرد."
همسر مرد گفت "پس میخواهی همگی از گرسنگی تلف شویم؟" و آنقدر گفت و گفت
و گفت تا بالاخره مرد هم راضی شد.

Once upon a time, long ago, there lived a poor woodcutter with his wife and two children. The boy's name was Hansel and his sister's, Gretel. At this time a great and terrible famine had spread throughout the land. One evening the father turned to his wife and sighed, "There is scarcely enough bread to feed us."
"Listen to me," said his wife. "We will take the children into the wood and leave them there. They can take care of themselves."
"But they could be torn apart by wild beasts!" he cried.
"Do you want us all to die?" she said. And the man's wife went on and on and on, until he agreed.

روز بعد، صبح زود پیش از برآمدن آفتاب، مادرشان هانسل و گرِتل را از خواب بیدار کرد و گفت "بلند شوید، میخواهیم به داخل جنگل برویم. اینهم پاره نانی برای هر یک از شما، ولی آنرا یکدفعه نخورید."
همه باهم براه افتادند. هانسل اینجا و آنجا می ایستاد؛ برمیگشت و خانه اشان را نگاه میکرد.
پدرش فریاد زد: "چکار میکنی؟"
"تنها از گربه سفید کوچکم خداحافظی میکنم که روی سقف خانه نشسته است."
مادرش پاسخ داد و گفت: "حرف مفت میزنی! راستش را بگو. این آفتاب صبحگاه است که بر دودکش سقف میتابد."
هانسل دزدکی شن ریزه ها را بر سطح راه پخش میکرد.

Early next morning, even before sunrise, the mother shook Hansel and Gretel awake.
“Get up, we are going into the wood. Here’s a piece of bread for each of you, but don’t eat it all at once.”
They all set off together. Hansel stopped every now and then and looked back towards his home.
“What are you doing?” shouted his father.
“Only waving goodbye to my little white cat who sits on the roof.”
“Rubbish!” replied his mother. “Speak the truth. That is the morning sun shining on the chimney pot.”
Secretly Hansel was dropping white pebbles along the pathway.

آنها به عمق جنگل رسیدند جائیکه پدر و مادر به بچه هایشان کمک
کردند آتشی روشن نمایند.
مادرشان گفت: "تا هنگامی که شعله های آتش باقی است بمانید
و حتما منتظر ما باشید تا بیائیم و شما را ببریم."
هانسل و گرتِل کنار آتش نشستند، تکه نان خود را خوردند
و زود بخواب رفتند.

They reached the deep depths of the wood where the parents helped the children to build a fire.
“Sleep here as the flames burn bright,” said their mother. “And make sure you wait until we come to fetch you.”
Hansel and Gretel sat by the fire and ate their little pieces of bread.
Soon they fell asleep.

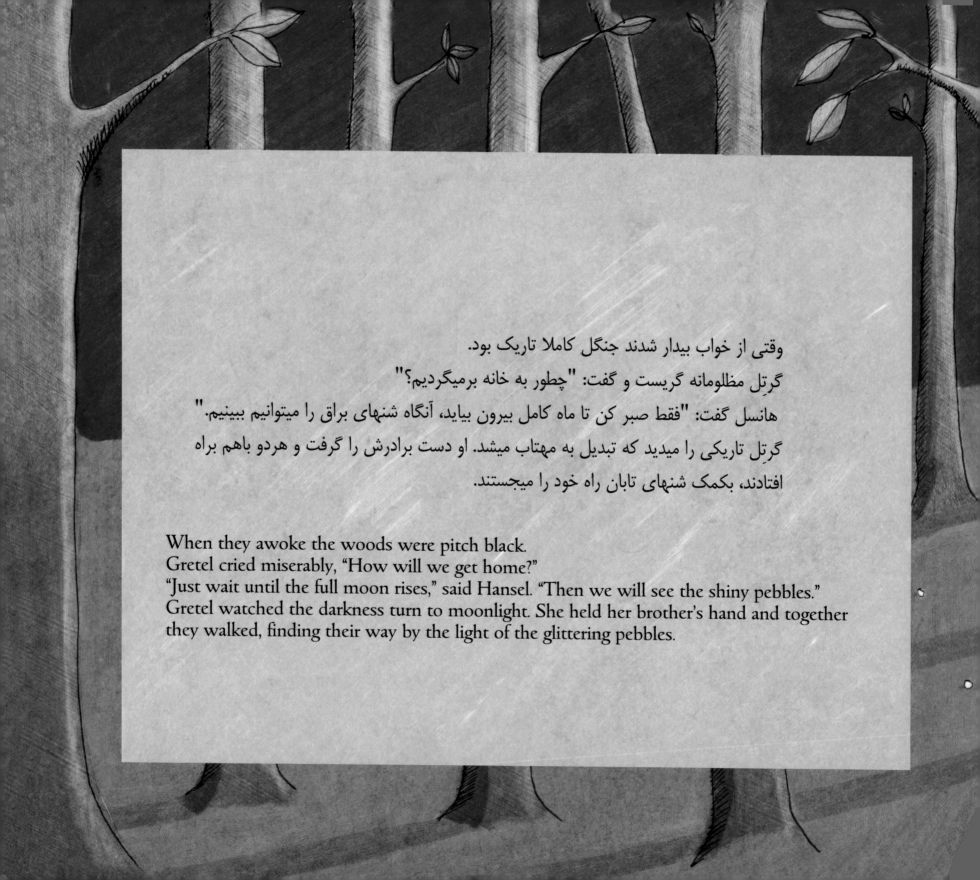

وقتی از خواب بیدار شدند جنگل کاملا تاریک بود.
گرِتل مظلومانه گریست و گفت: "چطور به خانه برمیگردیم؟"
هانسل گفت: "فقط صبر کن تا ماه کامل بیرون بیاید، آنگاه شنهای براق را میتوانیم ببینیم."
گرِتل تاریکی را میدید که تبدیل به مهتاب میشد. او دست برادرش را گرفت و هردو باهم براه
افتادند، بکمک شنهای تابان راه خود را میجستند.

When they awoke the woods were pitch black.
Gretel cried miserably, “How will we get home?”
“Just wait until the full moon rises,” said Hansel. “Then we will see the shiny pebbles.”
Gretel watched the darkness turn to moonlight. She held her brother’s hand and together
they walked, finding their way by the light of the glittering pebbles.

سحرگاهان به کلبه هیزم شکن رسیدند. همینکه دختر در را باز کرد، مادرشان فریاد زد "چرا اینهمه خوابیدید؟ من فکر کردم دیگر هیچگاه به خانه برنمیگردید."

او عصبانی بود در حالیکه پدرشان شادمانی میکرد و از اینکه بچه هایشان تنها رها شده بودند ناراحت بود.

زمان گذشت. هنوز غذا کافی برای سیر شدن خانواده نبود. شبی هانسل و گرتِل صحبتهای مادرشان را شنیدند که میگفت "بچه ها باید بروند. ما باید آنها را بیشتر به عمق جنگل ببریم. اینبار دیگر نخواهند توانست راه خروج را پیدا کنند."

هانسل آهسته از تختخوابش بیرون خزید و خواست یکبار دیگر مقداری شن براق بیاورد ولی اینبار در را بسته یافت. آنگاه به گرتِل گفت "گریه نکن، من راه دیگری برای آن خواهم یافت. حالا برو بخواب."

Towards morning they reached the woodcutter's cottage.
As she opened the door their mother yelled, "Why have you slept so long in the woods?
I thought you were never coming home."
She was furious, but their father was happy. He had hated leaving them all alone.

Time passed. Still there was not enough food to feed the family.
One night Hansel and Gretel overheard their mother saying, "The children must go.
We will take them further into the woods. This time they will not find their way out."
Hansel crept from his bed to collect pebbles again but this time the door was locked.
"Don't cry," he told Gretel. "I will think of something. Go to sleep now."

روز بعد تکه نان کوچکتری به بچه ها داده شد و هر دو را به اعماق جنگل بردند، جائی که پیشتر هرگز نرفته بودند.
هانسل گاه به گاهی می ایستاد و تکه های نان را روی زمین پخش میکرد.
پدر و مادرشان آتشی روشن کردند و از آنها خواستند تا بخوابند. مادرشان گفت: "ما میرویم هیزم بشکنیم، و هر موقع کارمان تمام شد میآئیم شما را میبریم."
گرتِل سهم نان خود را با هانسل تقسیم کرد و آنگاه چشم براه ماندند و ماندند، اما کسی نیامد.
هانسل گفت: "وقتی ماه بیرون آمد تکه های نان را خواهیم دید و راه خانه را پیدا خواهیم کرد."
ماه بیرون آمد اما بچه ها خرده نانی نیافتند. پرنده و حیوانات جنگل همه را خورده بودند.

The next day, with even smaller pieces of bread for their journey, the children were led to a place deep in the woods where they had never been before. Every now and then Hansel stopped and threw crumbs onto the ground.
Their parents lit a fire and told them to sleep. “We are going to cut wood, and will fetch you when the work is done,” said their mother.
Gretel shared her bread with Hansel and they both waited and waited. But no one came.
“When the moon rises we’ll see the crumbs of bread and find our way home,” said Hansel.
The moon rose but the crumbs were gone.
The birds and animals of the wood had eaten every one.

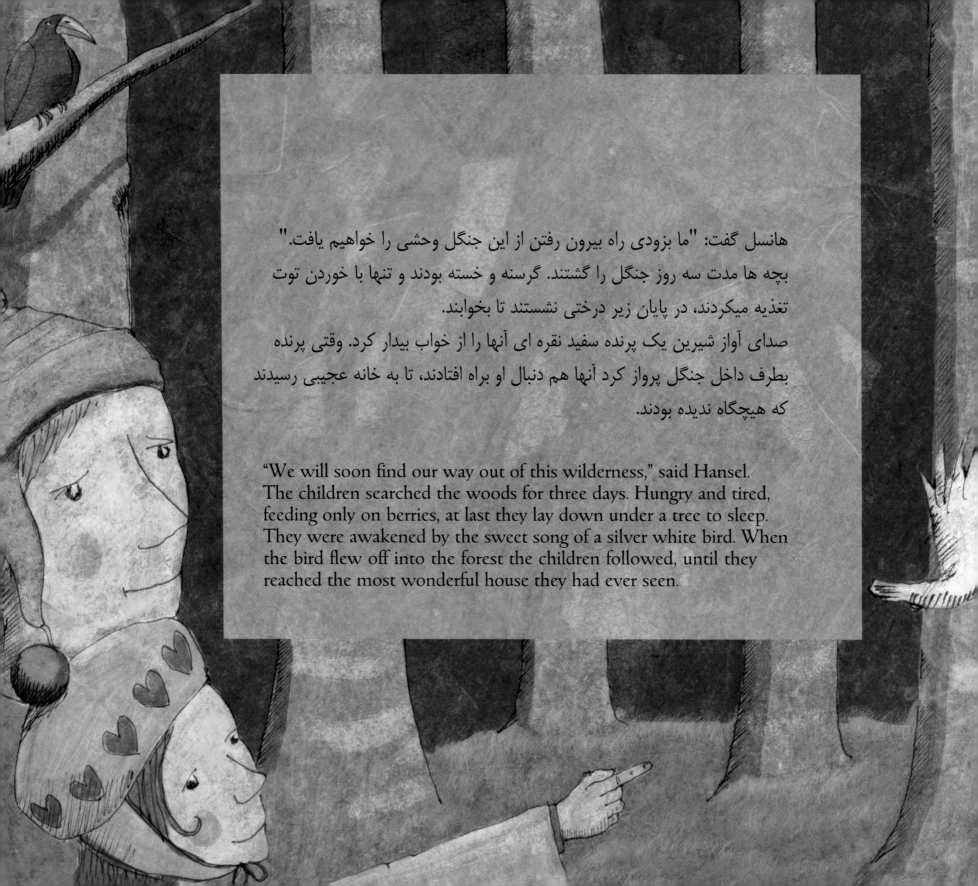

هانسل گفت: "ما بزودی راه بیرون رفتن از این جنگل وحشی را خواهیم یافت."

بچه ها مدت سه روز جنگل را گشتند. گرسنه و خسته بودند و تنها با خوردن توت

تغذیه میکردند، در پایان زیر درختی نشستند تا بخوابند.

صدای آواز شیرین یک پرنده سفید نقره ای آنها را از خواب بیدار کرد. وقتی پرنده

بطرف داخل جنگل پرواز کرد آنها هم دنبال او براه افتادند، تا به خانه عجیبی رسیدند

که هیچگاه ندیده بودند.

"We will soon find our way out of this wilderness," said Hansel.
The children searched the woods for three days. Hungry and tired,
feeding only on berries, at last they lay down under a tree to sleep.
They were awakened by the sweet song of a silver white bird. When
the bird flew off into the forest the children followed, until they
reached the most wonderful house they had ever seen.

The walls were tiled with strawberry tarts, the roof was made of chocolate hearts. Around the windows were caramel frames and the pathway was lined with candy canes. "Now we can eat!" said Hansel and he bit off a piece of the roof.

Suddenly, they heard a voice. "Jimney, Jimney, who's that nibbling at my chimney?"

"It's the wind, it blows right in," they answered, and went on eating.

All at once the door opened and a strange, shrivelled woman appeared. Beyond her tiny spectacles she had blood red eyes.

Hansel and Gretel were so frightened they dropped their sweets.

"What brought you here, my dears?" she said. "If it is hunger, then come and see what I have for you."

She took them by the hand and led them into her little house.

دیوارهای خانه با کیک توت فرنگی کاشیکاری شده بود،
سقف آن از قلب شکلاتی ساخته شده بود، چهارچوب دور
پنجره ها از کارامل و راه داخل باغچه با عصای قندی
فرش شده بود.
هانسل گفت: "حالا دیگر میتوانیم بخوریم!"
و بعد تکه ای از سقف را گاز گرفت و کند.
ناگهان صدائی شنیدند: "بِکِش نکِش،
آنجا کیست روی دودکش میخورد کِشمِش؟"
آنها جواب دادند: "این باد است که میوزد و به داخل خانه میرسد."
آنگاه به خوردن ادامه دادند.
یکمرتبه در باز شد و یک زن عجیب چروکیده ظاهر شد.
او از پشت عینک کوچکش چشمان قرمز خونینی داشت.
هانسل و گرتِل چنان ترسیدند که شیرینیها از دستشان روی زمین افتاد.
زن گفت: "چه چیزی شما را به اینجا آورده، عزیزم؟
اگر گرسنگی است که با من بیائید و ببینید چه چیزی برایتان دارم."
آنگاه دستشان را گرفت و به داخل خانه کوچکش برد.

هانسل و گرتِل خوراکیهای خوبی خوردند! سیب و آجیل، شیر و نان شیرینی عسل مال.

آنگاه روی دو تختخواب کوچک با ملافه های سفید دراز کشیدند و گوئی در بهشت باشند، بخواب رفتند.

زن، در حالیکه از نزدیک به آنها نگاه دوخته بود گفت: "شما خیلی لاغر هستید. حالا بخوابید و خواب خوش ببینید،

چون کابوسهای شما از فردا شروع خواهد شد!"

زن عجیبی که خانه خوراکی داشت و چشمانش کم سو بود، سعی میکرد خود را دوستانه نشان دهد، ولی در حقیقت یک جادوگر بدکار بود.

Hansel and Gretel were given all good things to eat! Apples and nuts, milk, and pancakes covered in honey.

Afterwards they lay down in two little beds covered with white linen and slept as though they were in heaven.

Peering closely at them, the woman said, "You're both so thin. Dream sweet dreams for now, for tomorrow your nightmares will begin!"

The strange woman with an edible house and poor eyesight had only pretended to be friendly. Really, she was a wicked witch!

سحرگاهان جادوگر افسونکار هانسل را گرفت و بزور داخل قفسی گذاشت. او که اسیر شده بود و میترسید، فریاد کمک کشید.

گرتِل دوان دوان آمد و با صدای بلند گفت: " با برادرم چه میکنی؟"

جادوگر خندید و چشمان قرمز خونینش را چرخاند، سپس گفت: "دارم او را برای خوردن آماده میکنم. تو هم بچه کوچک، باید به من کمک کنی."

گرتِل ترسید.

جادوگر او را به آشپزخانه فرستاد تا در آنجا غذای زیادی برای برادرش تهیه کند. اما برادرش نمی خواست چاق بشود.

In the morning the evil witch seized Hansel and shoved him into a cage. Trapped and terrified he screamed for help.
Gretel came running. "What are you doing to my brother?" she cried.
The witch laughed and rolled her blood red eyes.
"I'm getting him ready to eat," she replied. "And you're going to help me, young child."
Gretel was horrified.
She was sent to work in the witch's kitchen where she prepared great helpings of food for her brother.
But her brother refused to get fat.

جادوگر روزانه بدیدار هانسل میآمد و با عصبانیت میگفت "انگشتت را بیرون بیاور ببینم چقدر چاق شده ای!"
هانسل استخوان جناغی را که در جیب خود داشت به او نشان میداد. جادوگر که چشمان بسیار کمسوئی داشت نمیتوانست بفهمد چرا پسرک آنچنان استخوانی باقی مانده بود.
بعد از سه هفته حوصله اش پاک سر رفت.
رو به گرتِل کرد و گفت: "زود برو هیزم بیار، باید آن پسرک را داخل دیگ بگذاریم."

The witch visited Hansel every day. “Stick out your finger,” she snapped. “So I can feel how plump you are!”
Hansel poked out a lucky wishbone he’d kept in his pocket.
The witch, who as you know had very poor eyesight, just couldn’t understand why the boy stayed boney thin.
After three weeks she lost her patience.
“Gretel, fetch the wood and hurry up, we’re going to get that boy in the cooking pot,” said the witch.

گرتِل به آرامی هیزم را داخل اجاق گذاشت که با چوب میسوخت. جادوگر طاقت از دست داد و فریاد زد:

"اجاق تا حالا باید آماده شده باشد. داخل آن برو و ببین به اندازه کافی گرم هست!"

گرتِل که میدانست جادوگر دقیقا چه در فکر دارد، گفت: "نمیدانم چطور."

جادوگر گفت: "احمق، تو دختر احمقی هستی!"

و برای اثبات حرف خود، سرش را داخل اجاق کرد.

گرتِل بسرعت برق بقیه بدن او را داخل اجاق داغ گذاشت.

سپس در آهنی اجاق را گذاشت و بست، آنگاه در حالیکه فریاد میکشید بطرف هانسل دوید،

"جادوگر مرده است! جادوگر مرده است! این پایان کار جادوگر بدکار بود."

Gretel slowly stoked the fire for the wood-burning oven.
The witch became impatient. "That oven should be ready by now. Get inside and see if it's hot enough!" she screamed.
Gretel knew exactly what the witch had in mind. "I don't know how," she said.
"Idiot, you idiot girl!" the witch ranted. "The door is wide enough, even I can get inside!"
And to prove it she stuck her head right in.
Quick as lightning, Gretel pushed the rest of the witch into the burning oven. She shut and bolted the iron door and ran to Hansel shouting: "The witch is dead! The witch is dead! That's the end of the wicked witch!"

هانسل مانند پرنده ای که پرواز میکند، از داخل قفس بیرون جهید.

Hansel sprang from the cage like a bird in flight.

هانسل و گرتِل همدیگر را در آغوش گرفتند. میرقصیدند و آواز میخواندند و شادی کنان به هر طرف سرک میکشیدند.
آنها در هر گوشه خانه صندوق گنجی پیدا کردند که پُر از مروارید، زمرد و یاقوت و اشیاء قیمتی بود. هانسل و گرتِل جیبهایشان را تا جا داشت پرکردند.
گرتِل گریه کنان گفت: "ما گنجینه پربهائی داریم، اما چگونه میتوانیم از این جنگل وحشی فرار کنیم؟"
هانسل گفت: "غصه نخور، ما بکمک همدیگر راه خانه را پیدا خواهیم کرد."

Hansel and Gretel hugged each other. They danced and sang and ran around with joy. In every corner they found treasure chests filled with pearls, emeralds, rubies and all kinds of worldly precious things. Hansel and Gretel filled their pockets to overflowing.
“We have wondrous treasures, but how do we escape from the wild wood?” sighed Gretel.
“Don’t worry, together we will find our way home,” said Hansel.

پس از سه ساعت به رودخانه بزرگی رسیدند.
هانسل گفت: "ما نمیتوانیم از آن عبور کنیم. نه قایقی هست، نه پلی، تنها آب روشن آبی رنگ است و بس."
گرتِل گفت: "نگاه کن، آنسوی موج آبها، مرغابی سفیدی بر روی آب شنا میکند. ممکن است او بتواند بما کمک کند."
پس هردو باهم این آواز را خواندند "ای مرغابی کوچک که بالهای سفید براق داری، لطفا به ما گوش بده،
آب عمیق است، آب فراوان است، آیا میتوانی ما را بآنسوی رودخانه ببری؟"
مرغابی شناکنان بسوی آنها آمد، ابتدا هانسل را بسلامت به آنسو برد، آنگاه گرتِل را.
بچه ها در دیگر سوی رودخانه جهان آشنائی دیدند.

After three hours they came upon a stretch of water.
"We cannot cross," said Hansel. "There's no boat, no bridge, just clear blue water."
"Look! Over the ripples, a pure white duck is sailing," said Gretel. "Maybe she can help us."
Together they sang: "Little duck whose white wings glisten, please listen.
The water is deep, the water is wide, could you carry us across to the other side?"
The duck swam towards them and carried first Hansel and then Gretel safely across the water.
On the other side they met a familiar world.

آنها قدم به قدم راه خود را بسوی خانه هیزم شکن یافتند.

و فریاد زدند "ما به خانه رسیدیم!"

نیش پدرشان گوش تا گوش باز شد و گفت: "من از وقتی که شما رفته اید یک لحظه هم خوشحال نبوده ام.

همه جا را دنبال شما گشتم..."

Step by step, they found their way back to the woodcutter's cottage.
"We're home!" the children shouted.
Their father beamed from ear to ear. "I haven't spent one happy moment since you've been gone," he said.
"I searched, everywhere..."

"ولی مادرمان؟"

"او رفته است. وقتی که دیگر چیزی برای خوردن باقی نماند او هم رفت و گفت دیگر هرگز او را نخواهم دید. حالا ما سه نفر هستیم و بس."

هانسل دست در جیب خود برد، مرواریدی به سفیدی برف بیرون آورد و گفت: "پس گوهرهای قیمتی ما."

پدرشان گفت: "خوب، بنظر میرسد مشکلات ما به پایان رسیده باشد."

"And Mother?"
"She's gone! When there was nothing left to eat she stormed out saying I would never see her again. Now there are just the three of us."
"And our precious gems," said Hansel as he slipped a hand into his pocket and produced a snow white pearl.
"Well," said their father, "it seems all our problems are at an end!"